giulio coniglio

Storie
per un anno

Coordinamento editoriale: Antonella Vincenzi
Redazione: Giulia Calandra Buonaura, Silvia Perandin
Computer grafica: Simona Caserta

A Sandro, ancora nostro art director

Proprietà letteraria e artistica riservata
© 2001 Nicoletta Costa/Quipos S.r.l.
© 2001 Franco Cosimo Panini Editore S.p.A.
Via Giardini 474/D, 41124 Modena
www.francopaniniragazzi.it
Prima edizione in Illustrati di Giulio Coniglio:
settembre 2011

Nicoletta Costa

giulio coniglio
Storie
per un anno

franco
cosimo
panini

ECCO GLI AMICI DI GIULIO CONIGLIO

L'OCA
CATERINA

ROSETTA
LA FARFALLA

LA RENNA
RENATA

LA LUMACA
LAURA

TERESA LA TARTARUGA

PIPPO PORCELLO

IL TOPO TOMMASO

GUIDO
IL DOTTOR GUFO

VALTER
LA VOLPE

LA PICCOLA VOLPE DISPETTOSA

FINALMENTE È ARRIVATA LA PRIMAVERA.
GLI UCCELLINI CHIACCHIERANO ALLEGRI
SUI RAMI DEGLI ALBERI E LE FARFALLE MOSTRANO
A TUTTI I LORO NUOVI VESTITI COLORATI.
GIULIO CONIGLIO HA MOLTO DA FARE NELL'ORTO.
L'OCA CATERINA, CHE È MOLTO GENTILE,
LO STA AIUTANDO, MENTRE IL TOPO TOMMASO
PREFERISCE DI GRAN LUNGA FARE UN PISOLINO.

LASSÙ SULL'ALBERO, NASCOSTO TRA LE FOGLIE, VALTER LA VOLPE
LI GUARDA CON I SUOI OCCHIETTI FURBI...
VALTER LA VOLPE VA MATTO PER GLI SCHERZI E SICURAMENTE
NE STA GIÀ PREPARANDO UNO PER GIULIO CONIGLIO
E L'OCA CATERINA. LE FARFALLE, CHE HANNO CAPITO TUTTO,
SONO UN PO' PREOCCUPATE...

IMPROVVISAMENTE DAL CIELO SCENDE UNA CAROTA
MERAVIGLIOSA. I DUE AMICI SONO MOLTO STUPITI!
GIULIO CONIGLIO NON HA MAI VISTO NIENTE DI SIMILE
PRIMA D'ORA. E SUBITO PENSA: "HO L'ACQUOLINA IN BOCCA!"
ANCHE LA LUMACA LAURA, CHE NON È UN'ESPERTA, È SICURA
CHE UNA CAROTA VOLANTE DEVE ESSERE MOLTO SAPORITA.

GIULIO CONIGLIO HA UNA GRAN VOGLIA
DI PAPPARSI QUESTA SPLENDIDA CAROTA
CADUTA DAL CIELO, MA NON SA COME FARE...
L'OCA CATERINA HA UN'IDEA MERAVIGLIOSA:
DICE A GIULIO DI SALIRE SULL'ANNAFFIATOIO.
POI CATERINA, OCA CORAGGIOSA, SALE A SUA VOLTA.
SULLE ZAMPE DI GIULIO. LA LUMACA LAURA
LI GUARDA CON IL FIATO SOSPESO.
ECCO, CE L'HANNO QUASI FATTA...
MA CHE COSA SUCCEDE?
QUALCOSA NON HA FUNZIONATO.
«AIUTO!» DICE CATERINA.
TUTTI E DUE PERDONO L'EQUILIBRIO...
PER FORTUNA, UN ATTIMO PRIMA
DI CADERE, CATERINA RIESCE
AD AFFERRARE LA PREZIOSA
CAROTA VOLANTE...

AIUTO

GIULIO CONIGLIO E L'OCA CATERINA SONO CADUTI SUL PRATO COME PERE MATURE. PER FORTUNA L'ERBA È MOLTO MORBIDA E NON SI SONO FATTI MALE.
LA FARFALLA ROSETTA PENSA CHE CADERE A GAMBE ALL'ARIA NON È MOLTO BELLO...
"PER FORTUNA" PENSA TRA SÉ E SÉ, "ALLE FARFALLE COSE SIMILI NON SUCCEDONO QUASI MAI."

VALTER LA VOLPE SCENDE DALL'ALBERO.
ADESSO È MOLTO PENTITO
PER QUELLO CHE HA FATTO.
PER UN MOMENTO HA PERSINO PAURA
CHE QUALCUNO SI SIA FATTO MALE
PER COLPA SUA...
LA LUMACA LAURA PENSA
CHE QUELLA VOLPE DISPETTOSA
DEVE TROVARE IL MODO
PER FARSI PERDONARE...

VALTER LA VOLPE DECIDE DI FARSI
PERDONARE CON UNA SORPRESA!
DICE A TUTTI DI CHIUDERE GLI OCCHI E...
«DOVETE AVERE PAZIENZA, AMICI» DICE LA VOLPE.
«QUESTA SORPRESA È UN PO' LUNGA
DA PREPARARE, MA SONO SICURO
CHE VI PIACERÀ...» ORA VALTER LA VOLPE
SORRIDE SODDISFATTO, PERCHÉ PREPARARE
MERAVIGLIOSE SORPRESE
PER GLI AMICI È VERAMENTE
MOLTO DIVERTENTE!

A LEZIONE DI NUOTO

CHE CALDO... IL SOLE BRILLA ALTO NEL CIELO D'ESTATE.

IL TOPO TOMMASO DICE AGLI AMICI CHE È LA GIORNATA

IDEALE PER ANDARE A NUOTARE!

«È UN'IDEA FANTASTICA» RISPONDE SUBITO L'OCA CATERINA

CHE ADORA L'ACQUA.

COSÌ, IN UN BATTER D'OCCHIO, TUTTO È PRONTO

E I QUATTRO AMICI SE NE VANNO AL FIUME, TUTTI CONTENTI:

UNA SPLENDIDA GIORNATA LI ASPETTA...

APPENA ARRIVATI, CATERINA E PIPPO PORCELLO
SI BUTTANO SUBITO IN ACQUA.
PIPPO PORCELLO PRENDE IL SALVAGENTE A FIORI.
«È SOLO PER SICUREZZA» DICE. «PERCHÉ IO SO NUOTARE
BENISSIMO ANCHE SENZA...»
«VENITE TUTTI!» GRIDA L'OCA CATERINA
CON LA SUA VOCIONA. «L'ACQUA FRESCA
È MERAVIGLIOSA.»

IL TOPO TOMMASO SI È MESSO
MASCHERA E PINNE, ANCHE GIULIO CONIGLIO È PRONTO...
È ORA DI TUFFARSI, MA C'È QUALCOSA CHE NON VA.
«FORZA GIULIO!» GRIDA TOMMASO. «BUTTATI, NON FARE IL FIFONE!»
MA IL POVERO GIULIO PROPRIO NON CE LA FA,
HA TROPPA PAURA...
LA LUMACA LAURA PENSA CHE DOPOTUTTO
È SEMPRE MEGLIO ESSERE PRUDENTI.

IL TOPO TOMMASO È PRONTO PER TUFFARSI...

"È PROPRIO BRAVO!" PENSA PIPPO PORCELLO CHE NON RIESCE

AD ANDARE SOTT'ACQUA.

ANCHE GIULIO CONIGLIO STA GUARDANDO

IL TOPO TOMMASO CON GRANDE

AMMIRAZIONE.

ORA TOMMASO È USCITO DALL'ACQUA
PER CONVINCERE GIULIO CONIGLIO A TUFFARSI.
«CORAGGIO» GLI DICE DOLCEMENTE CATERINA.
«CI SONO QUA IO, NON DEVI AVERE PAURA!»
MA IL POVERO GIULIO DEVE SEDERSI
PERCHÉ GLI TREMANO LE ZAMPE DALL'EMOZIONE...

BISOGNA PROPRIO FARE QUALCOSA!
PER FORTUNA PIPPO PORCELLO HA UNA BELLISSIMA IDEA:
CORRE A PRENDERE TERESA LA TARTARUGA
E LA TRASPORTA SUL CARRETTO FINO AL FIUME.
SI SA CHE A TERRA TERESA È UN PO' LENTA...
MA IN ACQUA IL SUO GUSCIO GALLEGGIA SOLIDO
E SICURO COME UNA ZATTERA. APPENA LO VEDE,
GIULIO CONIGLIO FINALMENTE SI RASSICURA:
FA UN BEL RESPIRO PROFONDO
E SI TUFFA NEL FIUME.
AGGRAPPATO AL GUSCIO DI TERESA
NON HA PIÙ PAURA...
«AVEVATE RAGIONE, AMICI.
NUOTARE È DAVVERO MERAVIGLIOSO!»

CHE RAFFREDDORE, GIULIO CONIGLIO!

IN AUTUNNO IL CIELO È GRIGIO, FA FREDDO E PIOVE.
LE FOGLIE DEGLI ALBERI DIVENTANO GIALLE
E CADONO UNA DOPO L'ALTRA...
GIULIO CONIGLIO SI È MESSO
LA SCIARPA DI LANA PER USCIRE.

AHIMÈ, LA SCIARPA DI LANA NON È SERVITA A MOLTO:
GIULIO CONIGLIO HA IL NASO ROSSO E STARNUTISCE
CONTINUAMENTE. ETCÍ ETCÍ...
   PURTROPPO SI È PRESO UN BEL RAFFREDDORE
      E DEVE METTERSI SUBITO A LETTO.
         L'OCA CATERINA GLI METTE L'ALA SULLA FRONTE
            PER SENTIRE SE HA LA FEBBRE...

ETCÍ

EH SÌ, GIULIO CONIGLIO HA DAVVERO LA FEBBRE!
L'OCA CATERINA PRENDE L'OMBRELLO E VA IN FRETTA
A CHIAMARE IL DOTTOR GUFO. TOC... TOC...
IL DOTTOR GUFO SI AFFACCIA ALLA FINESTRA.
«GIULIO CONIGLIO È MALATO» DICE CATERINA.
«DOTTORE, VENGA A VISITARLO, PER PIACERE!»

GUIDO IL GUFO È UN DOTTORE MOLTO BRAVO:
TROVA SUBITO UNO SCIROPPO SPECIALE
PER CONIGLI RAFFREDDATI. GIULIO CONIGLIO LO PRENDE
SENZA FARE STORIE E IL DOTTOR GUFO GLI PROMETTE
CHE STARÀ SUBITO MEGLIO.
DEVE SOLO STARE A RIPOSO PER UN PO'.

IL DOTTOR GUFO AVEVA PROPRIO RAGIONE.
"DOPO QUELLO SCIROPPO PORTENTOSO, MI SENTO COME NUOVO"
PENSA GIULIO CONIGLIO. "MI È ANCHE VENUTA UNA FAME
DA LUPI..." COSÌ GIULIO CONIGLIO SI ALZA
E FA MERENDA CON I SUOI AMICI.

LA RENNA CHE RIDEVA TROPPO

QUANTA NEVE... CHE MERAVIGLIA!
GIULIO CONIGLIO E IL TOPO TOMMASO
ESCONO DI BUON MATTINO
A RACCOGLIERE LA LEGNA
PER ACCENDERE IL FUOCO.

FA COSÌ FREDDO
CHE BISOGNA METTERSI
IL BERRETTO E I GUANTI...
IL *TOPO TOMMASO*,
SEDUTO SULLA SLITTA,
È MOLTO FELICE!

NEL BOSCO SILENZIOSO,
COPERTO DI NEVE,
SI SENTE UNO STRANO RUMORE...
QUALCUNO STA SINGHIOZZANDO.
GIULIO CONIGLIO SI AVVICINA E VEDE UNA POVERA RENNA
SEDUTA NELLA NEVE, CHE PIANGE DISPERATA.
LA RENNA SI CHIAMA RENATA...
«SONO UNA DELLE RENNE DI BABBO NATALE» DICE RENATA
TRA I SINGHIOZZI. «SONO STATA CACCIATA VIA
PERCHÉ RACCONTAVO STORIE BUFFE ALLE MIE COMPAGNE,
COSÌ RIDEVAMO TANTO INVECE DI LAVORARE...»
«NON PREOCCUPARTI» LE DICE GIULIO CONIGLIO. «NON RESTERAI
CERTO DA SOLA QUESTA NOTTE. VERRAI A CASA MIA A CENA
E CONOSCERAI TUTTI I MIEI AMICI.»
LA RENNA RENATA È MOLTO CONTENTA.

GIULIO CONIGLIO, IL TOPO TOMMASO
E LA LORO NUOVA AMICA SONO ARRIVATI A CASA.
L'OCA CATERINA LI SALUTA DALLA FINESTRA.
«SU, PRESTO, VENITE... LA CENA È QUASI PRONTA!»
LA RENNA RENATA E GIULIO CONIGLIO
HANNO GIÀ L'ACQUOLINA IN BOCCA...
DALLA PORTA APERTA ESCE UN DELIZIOSO
PROFUMO DI TORTA DI CAROTE!

L'ALBERO DI NATALE È DAVVERO BELLISSIMO!
IL TOPO TOMMASO STA APPENDENDO UNA STELLA COMETA
PROPRIO SULLA CIMA. TUTTI SPERANO CHE NON CADA...
ADESSO LA RENNA RENATA NON PIANGE PIÙ: STA SEDUTA
COMODA IN POLTRONA, CIRCONDATA DAI SUOI NUOVI AMICI.
CERTO, NON HA MAI TRASCORSO UN NATALE
COSÌ RIPOSANTE PRIMA D'ORA.
PER LE RENNE DI BABBO NATALE, INFATTI,
QUESTA DI SOLITO È UNA NOTTE DI DURO LAVORO!

Finito di stampare presso Gruppo Editoriale Zanardi s.r.l.
Maniago (PN) Italy
Settembre 2011